CAPITAINE BOBETTE ET LA MACHINATION MACHIAVÉLIQUE DU PROFESSEUR K.K. PROUT

CAPITAINE BOBETTE ET LA MACHINATION MACHIAVÉLIQUE DU PROFESSEUR K.K. PROUT

Quatrième roman épique de

DAV PILKEY

Machin Hamster-Doigtdanlnez

Texte français de Grande Allée Translation Bureau

Avis aux parents et enseignants
Les fôtes d'ortograf
dent les BD de Georges et Harold
son vous lues

Pour toute information concernant les droits, s'adresser à Permissions Department, Scholastic Inc., 557 Broadway, New York, NY 10012.

ISBN 978-0-439-98615-1

Titre original : Captain Underpants and the Perilous Plot of Professor Poopypants.

Édition publiée par les Éditions Scholastic,
604, rue King Ouest, Toronto (Ontario) M5V 1E1

13 12 11 10 9   Imprimé au Canada 121   18 19 20 21 22

CE LIVRE EST DÉDIÉ À
BOUTON D'OR GRIPETTE ODORANTE
AVEC TOUTE MON AFFECTION.

TABLE DES MATIÈRES

LA VÉRITÉ TOPPE SECRÈTE
sur le capitaine Bobette

NOUV-EAU

Il étais une foie deux p'tits gars super appellés Georges et Harold.

On est super

Moi aussi

Leur directeur, M. Bougon, était un vieux fatiguant.

Bla bla bla

M. Bougon étais très méchant avec Georges et Harold.

Bla bla bla ♪

Ils ont décider d'acheter l'Anneau hynoptique 3-D.

Pis on a hynoptiser M. Bougon avec.

Tu es en notre pouvoir.

Je dois obéire.

Mais ils ont fait une grave erreur.

Tu est désormet le capitaine Bobette.

Ha ha!

OK

Eh! Revenez, M. Bougon!

Tra-la -la-laaa

M. Bougon croyait qu'il était réelment le capitaine Bobette, mais il n'avait pas de superpouvoirs.

Arrête!

Gros boulet

Ils ont eu un tas d'avantures. Ils se sont mêmes fait attaqués par une seau coupe volante.

Oh oh!

Ils se sont faits quidnappés par les extraterrestres, mais Georges a voler leur jus pour super-pouvoirs.

Pis M. Bougon ses fait dévorer par un gros méchant pisse-en-lit.

Il fallait être là!

Georges lui a donner du superjus croissance accélérée...

... qui donne des superpouvoirs.

Le capitaine Bobette est devenu superfort. Il peut même VOLER.

Wow!

La seule façon de transphormer le capitaine Bobette, c'est de lui verser de l'eau sur la tête.

Il redevient alors M. Bougon.

Eh là!

Attention! Chaque fois que M. Bougon entent quelqu'un faire claqué ses doigts...

CLAC   CLAC

... il redevient Vous-savez-qui.

Tra-la-la-laaa!

Oh non!

Vlà que sa recommance!

FIN ?

CHAPITRE 1
GEORGES ET HAROLD

Voici Georges Barnabé et Harold Hébert. Georges,
c'est le petit à gauche avec une cravate et des
cheveux coupés au carré. Harold, c'est le garçon aux
cheveux fous à droite qui porte un t-shirt. Ils vont
t'accompagner tout au long de l'histoire.

ÉCOLE PRIMAIRE JÉRÔME-HÉBERT

**LA MEILLEURE
ÉCOLE
DE LA
PROVINCE**

La description de leur caractère varie en fonction de la personne à qui on le demande à l'école. Leur conseiller en orientation, M. Boussole, et la psychologue de l'école, Mme Diagnostic, croient qu'ils sont atteints d'HDA (hyperactivité avec déficit de l'attention). Le directeur Bougon pense, quant à lui, qu'ils sont tout simplement M.A.L.É.L.E.V.É.S.

À mon avis, ils souffrent simplement du SEP (syndrome de l'école plate).

En fait, Georges et Harold sont de bons petits garçons, vifs et intelligents. Leur seul problème, c'est qu'ils s'ennuient à l'école et que, par conséquent, ils essaient d'y mettre un peu de vie. N'est-ce pas gentil de leur part?

Malheureusement, la gentillesse de Georges et d'Harold leur cause parfois des ennuis, voire de GROS ennuis. Une fois, ils ont failli livrer la planète à un diabolique savant fou en habit de robot géant!

Mais, avant de te raconter cette histoire-là, en voici d'abord une autre...

CHAPITRE 2
VIVE LA
NOUVELLE-SUISSE

Comme chacun le sait, la Nouvelle-Suisse est un petit pays au sud-est du Groenland. Vous savez probablement déjà tout ce qu'il faut savoir sur les ressources naturelles et le gouvernement de la Nouvelle-Suisse. Mais il y a une chose que vous ignorez sûrement sur ce pays : tous ses habitants portent un nom bizarre.

Par exemple, le président s'appelle l'honorable Hilarion McSinge et sa douce épouse se nomme Poupoune.

Rien ne fait plus plaisir à M. et à Mme McSinge que de vous raconter l'histoire des noms bizarres des Néo-Suisses (car c'est bien ainsi qu'on les appelle!). Ils vous expliqueront leur signification culturelle en long et en large. Puis, ils vous raconteront probablement comment a débuté cette tradition stupide. Tenez-vous bien : c'est une histoire incroyablement longue et ennuyeuse. Passons...

Il suffit que vous vous souveniez que tous – riches et pauvres, idiots et génies – portent un nom bizarre en Nouvelle-Suisse.

À propos de génies, permettez-moi de vous présenter le professeur K. K. Prout. Vous pouvez apercevoir sa statue dans le coin inférieur droit de la page. K. K. Prout est probablement l'habitant le plus intelligent de la Nouvelle-Suisse. Il était le premier de sa classe à l'université Gros-nez-crotté. Depuis l'obtention de son diplôme, il passe son temps à inventer des machines plus bizarres les unes que les autres.

Je vais vous en dire plus long dans les pages suivantes.

Cérazé Lecrâne

Acajou Flue

Professeur K. K. Prout

Dans son laboratoire privé, le professeur K. K. Prout met la dernière touche à ses deux dernières inventions : le rétréciporc 2000 et l'oiegrandisseur 4000.

Le professeur appelle son assistant, Mévla Lahuri. « Lahuri, hurle Prout, je suis prêt à essayer mes nouvelles inventions. »

Lahuri prend des notes pendant que le professeur vise un tas d'ordures avec son rétréciporc 2000.

« BLLLLLZZZZRRRRK! »

Un rayon puissant balaie le tas d'ordures qui devient de la grosseur d'une boule de gomme en un clin d'œil.

« Hourra! Ça marche! s'exclame le professeur Prout. Essayons maintenant l'oiegrandisseur 4000! »

Prout et Lahuri visent un simple hot dog à la moutarde avec l'oiegrandisseur 4000.

« GGGLLUUZZZZZZZRRRRT! » fait l'appareil en émettant un rayon lumineux.

Le hot dog se met à grandir, mais à grandir,
jusqu'à ce qu'il passe à travers les murs du
laboratoire.

« On a réussi! » s'exclame Lahuri.

« Comment ça ON!!? proteste le professeur.
C'est moi qui ai réussi. C'est moi le GÉNIE. Lahuri,
vous n'êtes qu'un misérable assistant. Ne l'oubliez
pas! »

« Excusez-moi, professeur! »

« Avec ces deux inventions, s'enthousiasme le professeur Prout, je pourrai résoudre le problème de l'élimination des déchets et nourrir tous les habitants de cette planète. »

On dirait que tous les grands problèmes de la Terre ont enfin trouvé une solution. Qui aurait cru que, dans quelques semaines, le même professeur Prout essaierait de conquérir le monde dans un excès de fureur démente?

Eh bien, cher lecteur, notre histoire palpitante va bientôt commencer. Mais, avant de te raconter cette histoire-là, en voici d'abord une autre...

CHAPITRE 3
L'EXCURSION

L'école primaire Jérôme-Hébert a organisé son excursion annuelle chez Signor della Pizza. Tous les enfants ont apporté un billet de leurs parents et attendent devant l'autobus à la queue leu leu. Georges et Harold ont hâte de manger de la pizza et de jouer à des jeux vidéo tout l'après-midi.

« Ça va être SUPER! » dit Georges.

« Ouais, si on se rend jusque-là », précise Harold.

« Eh, suggère Georges, si on changeait les lettres du panneau pendant qu'on attend? »

« Bonne idée! » approuve Harold.

Les deux garçons se précipitent vers le panneau et commencent à faire preuve de leur « gentillesse » habituelle. Malheureusement, ils ne se rendent pas compte qu'une présence menaçante les épie derrière un buisson.

« AH HA! s'écrie M. Bougon, je vous ai pris la main dans le sac! »

« Oh oh! » sursaute Georges.

« Eh eh! proteste Harold. C'est juste une innocente plaisanterie. »

« INNOCENTE?!? hurle le directeur. Vous trouvez ça drôle, vous? »

Georges et Harold réfléchissent un moment. « Eh bien… oui », riposte Georges.

« Vous ne voyez vraiment pas? » s'étonne Harold.

« NON, je ne vois pas du tout, hurle le directeur. Je pense que c'est grossier et insultant. »

« C'est ça qui est drôle », explique Georges.

« Ah... ainsi, vous aimez rire, les gars? Dans ce cas-là, j'en ai une bonne pour vous : vous êtes officiellement EXCLUS de l'excursion. Au lieu de manger de la pizza, vous passerez l'après-midi à nettoyer le salon des professeurs. C'est pas amusant, ça? »

« Pas vraiment », proteste Harold.

« En fait, ce n'est pas du tout amusant, confirme Georges. Au contraire, c'est une punition méchante et cruelle. »

« C'est ça qui est amusant! » ricane le directeur.

CHAPITRE 4
ABANDONNÉS!

M. Bougon conduit les enfants jusqu'au placard du concierge.

« Voici les produits dont vous vous servirez pour nettoyer le salon des professeurs, déclare M. Bougon. Je veux qu'il soit IM-MA-CU-LÉ à mon retour, c'est bien compris? »

M. Bougon sort et monte dans l'autobus. Au moment de partir, il éclate de rire. Les enseignants se joignent à lui et pointent les deux garçons du doigt.

« Zut! se plaint Harold, et moi qui croyais qu'on allait s'amuser aujourd'hui. »

« Tu sais, tout n'est pas encore perdu, explique Georges. Tout ce qu'il nous faut, c'est une échelle, le sac de pâte en poudre et ces pastilles de mousse. »

Georges et Harold apportent ces fournitures au salon des professeurs et commencent à s'activer.

AMIS CHANTANTS DE BARNABÉ LE DRAGON

GO, ALLEZ, GO!

PÂTE EN POUDRE

PASTILLES DE MOUSSE

Georges tire sur le tuyau du gicleur de l'évier pendant qu'Harold met le gicleur à la position MARCHE et l'entoure de ruban adhésif.

Puis, ils le remettent en place en s'assurant qu'il pointe dans la bonne direction.

Georges tient l'échelle tandis qu'Harold
y monte et commence à déposer une couche
épaisse de poudre sur les pales du ventilateur.

« Ça va? » demande Harold.

« Ça va, confirme Georges. Essaie d'en mettre
surtout sur la pointe des pales. »

« OK! »

Georges ferme tous les stores pendant qu'Harold règle l'interrupteur pour que le ventilateur démarre en même temps qu'on allume la lumière. Enfin, ils remplissent le réfrigérateur de pastilles de mousse en forme de vers.

« On va bien s'amuser! » s'exclame Harold.

« Nous oui, pas les profs », précise Georges.

CHAPITRE 5
ON COMMENCE À S'AMUSER

Les autobus reviennent à l'école environ une heure plus tard. Tous les enfants en sortent, mettent leurs affaires dans leur sac et se préparent à retourner chez eux.

M. Barnicle, le professeur d'ISP, est absent, car il est chargé de surveiller les enfants à bord des autobus. Les autres enseignants se mettent à entourer Georges et Harold et à les taquiner.

« Quel dommage que vous ayez manqué une excursion aussi PASSIONNANTE, se moque Mme Rancier. La pizza était TELLEMENT délicieuse. »

« J'aurais aimé vous en réserver une pointe, ajoute M. Cruèle, mais je l'ai mangée dans l'autobus! » Il leur jette un carton de pizza vide, pendant que les professeurs hurlent de rire.

« Eh! Il reste un peu de fromage collé sur la boîte. Vous pourriez peut-être la lécher », rugit le directeur.

Après s'être moqués tout leur soûl de Georges
et d'Harold, les enseignants se retirent au salon des
professeurs.

« Comment se fait-il qu'il fasse si noir là-
dedans? » demande M. Cruèle en allumant la
lumière. Le ventilateur se met à tourner
lentement...

Mme Rancier se dirige vers l'évier et tourne la poignée. Tout à coup, le gicleur se met à projeter de l'eau froide sur elle.

« AAAAH! Coupez l'eau! » crie-t-elle. Les autres viennent à son aide, mais ils se font tous arroser, eux aussi.

Le ventilateur tourne de plus en plus vite et la poudre se met à tomber du plafond.

Les enseignants se bousculent les uns les autres en essayant de couper l'eau. Enfin, l'un d'eux réussit à le faire mais, à ce moment-là, il est déjà trop tard : ils sont tous TREMPÉS JUSQU'AUX OS!

Le ventilateur tourne maintenant à pleine vitesse. La poudre jaillit dans tous les sens et se dépose sur les professeurs mouillés.

« Quessé ç...? » s'écrie M. Cruèle.

« Qu'est-ce que c'est que ce produit collant? » hurle Mme Empeine.

Ils sont maintenant tous couverts d'un enduit gluant. Pas besoin d'être sorcier pour deviner qui est responsable de tous ces mauvais coups.

« Ces sales gamins sont mieux de ne pas avoir touché à mon coke diète », s'inquiète Mme Rancier. Elle se précipite sur le réfrigérateur et ouvre brusquement la porte.

FLOUF!

Des milliers de morceaux en mousse s'éparpillent dans la pièce, projetés par le souffle du ventilateur.

Et, évidemment, ils atterrissent sur ce qu'il y a de plus collant dans la pièce : les professeurs.

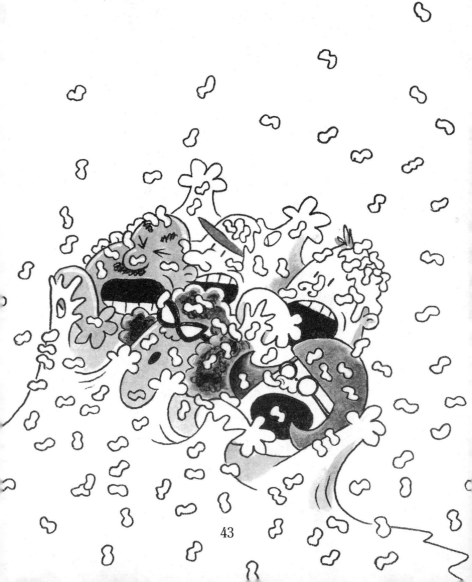

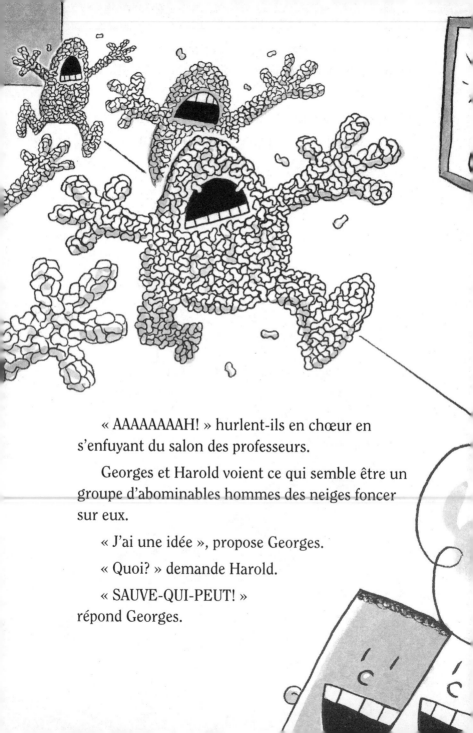

« AAAAAAAAH! » hurlent-ils en chœur en s'enfuyant du salon des professeurs.

Georges et Harold voient ce qui semble être un groupe d'abominables hommes des neiges foncer sur eux.

« J'ai une idée », propose Georges.

« Quoi? » demande Harold.

« SAUVE-QUI-PEUT! » répond Georges.

CHAPITRE 6
ADIEU, MONSIEUR LE PROFESSEUR!

Le lendemain, le professeur d'ISP, M. Barnicle, cogne à la porte du directeur.

« Quoi encore? » aboie M. Bougon.

« Je suis venu vous donner ma démission, dit M. Barnicle, je n'en peux plus de travailler ici. »

« Voyons, mon garçon, répond le directeur. C'est sûr que n'est pas facile d'être enseignant, mais vous ne pouvez pas démissionner comme ça parce que les choses ne tournent pas comme vous le voudriez. »

« Vous ne comprenez rien, proteste M. Barnicle. Je crois que mes nerfs sont en train de craquer. »

« Que voulez-vous dire? » demande M. Bougon.

« Tout a commencé il y a quelques mois quand j'ai rêvé que je me faisais dévorer par une toilette parlante. Puis, j'ai entendu des chats miauler et des chiens grogner dans la classe. Puis, j'ai imaginé qu'une grande vague de liquide vert avait recouvert les corridors de l'école et, hier, j'ai vu une bande d'abominables hommes des neiges courir après deux élèves dans le couloir. »

« Minute, Albert, répond le directeur. Il y a une explication logique à tout cela. »

« De plus, ajoute M. Barnicle, il y a quelques jours, j'ai vu un gros homme chauve en bobettes passer par la fenêtre en volant. »

« Vous avez raison, vous êtes complètement FOU! »

M. Barnicle remet sa démission et quitte l'école
primaire Jérôme-Hébert pour la Maison de repos
Zinzin pour personnes ayant des difficultés à
affronter la réalité.

« Bon, où est-ce que je vais trouver un
professeur d'ISP avant la fin de la session? »

CHAPITRE 7
BIENVENUE, MONSIEUR LE PROFESSEUR!

Vous vous souvenez du professeur Prout? On en a déjà parlé au chapitre 2. Les choses ne vont pas très bien pour lui depuis quelques semaines.

Il est venu en Amérique dévoiler ses inventions : le rétréciporc 2000 et l'oiegrandisseur 4000. Mais personne ne semble avoir le temps de l'écouter. Tout le monde est trop occupé...

... à rire de son nom ridicule.

Le pauvre professeur Prout a fait rire de lui dans tous les principaux établissements scientifiques des grandes villes : St-Apollifaire, Gaspillesie, Grannebé, Longdeuil et même le collège technique de Saint-Jean-Poil-au-Nez.

Le professeur Prout n'a plus un sou et ne sait plus à quel saint se vouer. Or, un beau jour, en entrant dans un café, il ramasse le journal et se met à lire les grands titres. Il n'en croit pas ses yeux : il a trouvé sa vocation.

« MAIS C'EST ÇA! s'exclame-t-il, professeur de science à l'école primaire! »

« Je vais travailler très fort et les gens vont finir par me respecter et reconnaître mon génie. C'est à ce moment-là que je dévoilerai mes inventions à l'humanité. »

Le professeur était convaincu que l'école primaire était le dernier endroit au monde où l'on se moquerait de son nom. « Les enfants sont tellement tolérants et affectueux. On peut toujours compter sur la douceur et l'innocence des enfants. »

CHAPITRE 8
LA DOUCEUR ET L'INNOCENCE DES ENFANTS

« Bonjour, les enfants! » commence le professeur une semaine plus tard. « Je suis votre nouveau professeur de science. Je m'appelle...

... Professeur K. K. Prout. »

HA! HA! HA!
HO!
HA! HA! HA!
HA! HA! HA!
HA! HA!
HA! HA! HA!
HI! HI!
HA! HA!
HI! HI! HO! HO!
HO!
HA! HA! HA! HA! HA! HA!
HI! HI!
HO! HO! HA!

« OK, les enfants, ça suffit. Je sais, je sais, mon nom est très drôle. Je vais vous expliquer pourquoi je m'appelle ainsi. OK, OK, ça suffit. Ce n'est pas si drôle que ça. Les enfants, LES ENFANTS! Arrêtez de rire. OK, je compte jusqu'à dix et, à dix, je ne veux plus entendre un son. Ainsi, vous pourrez tous apprendre des choses sur le monde merveilleux de la science. Un, deux, trois, quatre, cinq, six, sept, huit, neuf...

neuf et demi... euh... Les enfants, ARRÊTEZ DE
RIRE! On est très en retard dans le programme et il
y a beaucoup de matière à étudier. Les enfants!
ARRÊTEZ AU NOM DU CIEL! Je ne vous le dirai pas
deux fois. CE N'EST VRAIMENT PAS DRÔLE. Je ne
vois pas pourquoi vous vous moquez de mon nom.
Après tout, quand on y pense, on a tous un drôle de
nom. ARRÊTEZ-MOI ÇA MAINTENANT! OK, les
enfants, je vais attendre que vous vous calmiez. Je
peux attendre, vous savez... »

Une semaine plus tard, les choses ne se sont pas améliorées dans la classe du professeur et il commence à se fâcher.

« Comment est-ce que je vais réussir à leur faire la classe? se demande-t-il. Eurêka! Je vais inventer une nouvelle machine qui les impressionnera! »

CHAPITRE 9
LE JOGGEUR
À GERBILLE 2000

Le lendemain matin, le professeur Prout arrive à l'école avec un drôle de robot miniature.

« Regardez, les enfants, dit-il, j'ai inventé un robot en me fondant sur les principes de la science. Je l'ai appelé le joggeur à gerbille 2000. »

Les enfants arrêtent de rire et contemplent avec intérêt la nouvelle invention du professeur.

« Vous voyez, les enfants, certaines personnes aiment faire du jogging et leurs animaux aiment les accompagner. Ça va quand c'est un chien ou un chat, mais qu'arrive-t-il si l'on a une gerbille? Avant, c'était un problème grave, mais je l'ai résolu. »

Le professeur Prout ouvre le dôme de verre du joggeur et y laisse tomber une mignonne petite gerbille.

La gerbille pousse les commandes de ses petites pattes et l'appareil démarre. Au bout de quelques secondes, la gerbille fait du jogging dans la classe. Les enfants n'en reviennent pas!

« Wow! s'exclame Marie Mancini. C'est SUPER, la science! » Les autres enfants sont d'accord.

« C'est fantastique, songe le professeur Prout. J'ai réussi à les intéresser. Je peux enfin leur ENSEIGNER quelque chose. »

« Excusez-moi, Monsieur, demande Georges. Est-ce que vous avez un troisième prénom à part K. K.? »

« Oui, répond fièrement le professeur. Je m'appelle aussi *Pipi*. Pourquoi cette question? »

En entendant cela, les enfants se remettent à leur sport favori : se moquer du nom ridicule du professeur K. K. Pipi Prout.

Le professeur en tremble de rage. Les veines de ses tempes sont toutes gonflées et son visage est d'un beau rouge cramoisi. « Je n'en peux plus, je n'en peux plus, rage-t-il en serrant les poings. Je crois que ma cervelle va éclater à la prochaine provocation. »

CHAPITRE 10
LA PROCHAINE PROVOCATION

Peu après, Mme Rancier lit l'histoire du joueur de flûte en prose à toute la classe.

« Tu sais, dit Georges, cette histoire me donne une idée. »

C'est ainsi que Georges et Harold se mettent à leur nouvel album de bandes dessinées : *Le capitaine Bobette et le joueur de Prout de Jérôme-Hébert*.

Cet après-midi-là, ils se faufilent discrètement au secrétariat et tirent des copies de leur nouvel album pour le vendre dans la cour de récréation. Il n'y aurait pas eu de problème si l'un des élèves de troisième année n'avait pas oublié son album dans le corridor.

Le capitaine Bobette
et le joueur de Prout de Jérôme-Hébert

Il était une foie à l'école Jérôme-Hébert un prof de sience qui s'appelait le professeur K. K. Prout.

Je m'appelle aussi Pipi.

Tout le monde se moquait de son nom ridicul.

Ha ha ha!

K. K. était très FÂCHÉÉ

Ils verront bien.

Il a bati une armée de djoggeurs à gerbille 2000..

Ha ha

KK KK KK KK K

Il a mit une gerbille dans chaque robot.

Eh là!

KK

Mais il n'arrivais pas à les forcer à être méchantes.

Zut!

KK

Tap tap

Sait alors qu'il a eu une idée diabolique!

Mais bien sur!

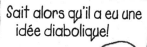

Il a inventé un tas de mini-écouteurs et les a placer sur les gerbilles.

Eh!

L'armée de gerbilles 2000 du professeur Prout s'est lancer à l'attac.

Ha ha ha!

Elle se dirigeait droit sur l'école.

Hahha

Ha! ha! ha!

Au secours! Les gerbilles 2000 on envaï la cafétéria! Elles on renversé les petits gâteaux et s'attaquent au prof de gym.

Vite! Sauvez les petits gâteaux!

Le professeur Prout et son armée diabolique ont entrainé tous les enfants.

Suivez-moi! Ha! ha! ha!

On dirait qu'on a besoin du...

CAPITAINE BOBETTE!

Quel est le problème?

Ces enfants deviendrons mes èsclaves.

Pour qui vous prenez-vous?

Je suis le professeur Prout.

Ha ha ha   Ha ha ha   HA   HA
                    Ha ha ha
        Ha ha ha   Ha ha ha
HA   HA

Le professeur Prout était très très faché. Il a appuyer sur un bouton sur son neu papillon...

... et son neu papillon l'a...

TCHK   TCHK

... trans-

TCHAK   TCHAK

-for-

FOUCH   FOUCH

-mé en...

VROUM   VROUM

CYBORG géant!

Ha ha ha ha

Oh oh!

KACHOUNK   KACHOUNK

Ils se sont livrer bataille.

Mais le capitaine Bobette courrait plus vite qu'un calesson lancé à toute vitesse...

Zip

... était plus fort qu'un boxer....

Ayoille!

... et pouvait sauter par-dessus les imeubles les plus hauts sang s'accrochér les bobettes.

Tra-la-la-laaa

Le professeur Prout a poursuivi notre héros jusque dans le simetierre d'autos.

Je te tien, o prince du sous-vettement.

KLONK

Ah ah! Je vais te réduire en bouyie.

ARRÊT

MARCHE

SUPERÉCRASE-TOUT 2000

Le capitaine Bobette a appuyer sur un bouton de son élastique de superhéros.

Clic!

Et une mini-toilette en est sorti.

Clic!

Le capitaine Bobette pointe le professeur de sa mini-toilette.

FLOUP!

Je suis tout rouillé!

Le capitaine Bobette nous a sauver!

Que va-t-on faire des gerbilles diaboliques?

Elles ne sont pas diaboliques.

Le professeur les controlait avec ça!

C'est de la musique?

Non

SISI CHANTONNE

Écoutez!

Une colombe est partie en courant...

Aaah!

Arrêtez, je vous en supplis!

Au secour!

Il y a de quoi devenir fou à écouter ça.

Le capitaine Bobette a détruit la télécommende.

Tra-la-la-laaa

Hourra!

Crac

Vive le capitaine Bobette!

FIN!

CHAPITRE 12
LE PROFESSEUR DEVIENT COMPLÈTEMENT ZINZIN

Le professeur Prout n'a jamais été aussi fâché de toute sa vie. Figé en plein milieu du corridor, il perd complètement la boule. Il se met à trembler et à suer comme un porc.

Le professeur arbore soudainement un sourire satanique. Il se dirige vers la salle de classe en ricanant et en se parlant tout seul. Il est maintenant au bout du rouleau et il a décidé d'entraîner toute la planète avec lui. K. K. Pipi Prout va conquérir le monde!

Mais, avant de te raconter cette histoire-là, en voici d'abord... Oh et puis zut! Je vais te raconter cette histoire-là.

CHAPITRE 13
CHÉRIE, J'AI RÉDUIT L'ÉCOLE

Le professeur Prout ouvre le placard de sa classe et en retire le rétréciporc 2000 et l'oiegrandisseur 4000. Il sort dans la cour en emportant aussi le joggeur à gerbille 2000.

Le professeur éclate d'un rire satanique en projetant le rayon de l'oiegrandisseur 4000 sur le joggeur à gerbille 2000.

« GGGLLUUZZZZZZZZRRRRT! »

Le joggeur à gerbille 2000 atteint bientôt la hauteur d'un immeuble de dix étages.

Le professeur Prout commence à faire l'ascension du robot géant. Au bout d'une heure, il arrive au dôme de verre et s'introduit à l'intérieur de la cabine de pilotage.

« Maman, dit un petit garçon qui marche aux côtés de sa mère, un vieux monsieur tout ratatiné vient d'entrer dans un robot géant et s'apprête à conquérir l'école. »

« Dieu du ciel! s'exclame la mère. Où vas-tu chercher des idées pareilles? Pourquoi pas un géant en caleçon qui se bat contre un robot gigantesque en plein centre ville? »

Le professeur Prout est maintenant aux commandes de son joggeur à gerbille 2000. Il saisit le rétréciporc 2000 de son bras gigantesque et met l'école en joue.

« BLLLLLLZZZZRRRRK! »

C'est à ce moment que Georges et Harold
regardent par la fenêtre. « Eh, s'écrie Georges, on
dirait le machin robot à gerbille! »

« Tu as raison! confirme Harold. Mais pourquoi
est-il si gros? »

« Je ne sais pas, répond Georges, mais il est de
plus en plus gros. »

« Eh! s'exclame Harold. Ce n'est pas lui qui grossit, c'est nous qui rétrécissons! »

CHAPITRE 14
LE PLAN DIABOLIQUE DU PROFESSEUR

Le professeur Prout ramasse l'école minuscule de son bras géant. Tout le monde hurle d'horreur.

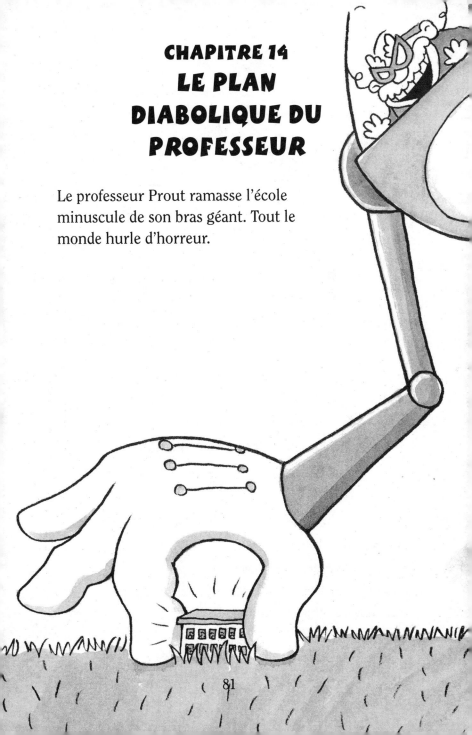

Cécile Galibois, reporter de l'émission *La Virgule*, arrive sur les lieux du crime en moins de temps qu'il n'en faut pour le dire.

« Que voulez-vous? » crie Mme Galibois.

« Je veux qu'on me donne un crayon! » hurle le professeur Prout.

« Un crayon? s'étonne Mme Galibois. Tenez! En voici un! » Elle lui lance un crayon jaune n° 2.

Le professeur ramasse le crayon et l'oiegrandisseur 4000, et projette un rayon agrandissant sur le crayon.

« GGGLLLUUZZZZZZZRRRRT! »

Le crayon atteint la taille d'un tronc d'arbre.
Le professeur s'en empare.

« Suivez-moi », dit-il.

Le robot conduit l'équipe des nouvelles au centre ville où il aperçoit trois immenses babillards blancs. Il dépose le rétréciporc 2000 et l'oiegrandisseur 4000, et se met à écrire sur les babillards à l'aide de son crayon géant.

CHAPITRE 15
LE BABICULE 2000

Le professeur Prout prend plusieurs minutes à inscrire un code complexe aux trois babillards.

Pris dans la poigne de fer de la main géante, Georges et Harold, ainsi que leurs 1 000 camarades, regardent faire le savant fou.

« Que fait donc ce fou? » demande M. Bougon en passant la tête par la fenêtre de son bureau.

« JE VAIS VOUS LE DIRE, hurle le professeur Prout. Tous les habitants de cette planète doivent adopter des noms bizarres conformément aux trois tableaux que voilà. Ceux qui refusent seront RÉDUITS à la taille d'une guêpe. »

« Comment est-ce que ça marche? » demande le directeur.

« C'est facile, répond le professeur. Quel est votre prénom? »

« Euh... je préfère ne pas le dire », dit
M. Bougon.

« QUEL EST VOTRE PRÉNOM? » hurle le
professeur.

« OK OK, proteste le directeur. Je m'appelle...
Abélard. » Les enfants se mettent à ricaner.

« Donc, votre prénom commence par un A,
explique Prout. Regardez quel prénom correspond
à la lettre A au premier tableau. »

A = Mouffette
B = Minet
C = Bouton d'or
D = Machin
E = Krusty
F = Gras-double
G = Groslard
H = Poutine
I = Tchim-tchim

J = K. K.
K = Ti-Jean
L = Crotte-de-nez
M = Minus
N = Zippy
O = Pinotte
P = Dingo
Q = Maigrichon
R = Boucle d'or

S = Morveux
T = Falafel
U = Concombre
V = Pulpeux
W = Oprah
X = Trucmuche
Y = Mignon
Z = Zsa-Zsa

M. Bougon regarde le tableau. « Le mot à côté de la lettre A, c'est Mouffette », gémit-il.

« Parfait! Vous vous appellerez dorénavant MOUFFETTE. »

Tous les enfants éclatent de rire.

« Mouffette Bougon?!!? se plaint le directeur. Je ne veux pas m'appeler Mouffette Bougon. »

« N'ayez crainte : on ne vous appellera pas Mouffette Bougon puisqu'on va aussi changer votre nom de famille », ricane le professeur.

« Oh non! » gémit le directeur.

« Vous vous appelez Bougon, ce qui commence par un B et finit par un N. Voyons un peu à quoi correspondent le B au deuxième tableau et le N au troisième. »

1

PREMIER TABLEAU : Déterminez quel est votre NOUVEAU prénom. C'est le nom correspondant à la première lettre de votre ancien prénom.

A = Mouffette
B = Minet
C = Bouton d'or
D = Machin
E = Krusty
F = Gras-double
G = Groslard
H = Poutine
I = Tchin-tchin
J = K.K.
K = Ti-Jean
L = Crotte-de-nez
M = Minus
N = Zippy
O = Pinotte
P = Dingo
Q = Maignichon
R = Boucle d'or
S = Morveux
T = Falafel
U = Concombre
V = Pulpeux
W = Oprah
X = Trucmuche
Y = Mignon
Z = Zsa-Zsa

2

DEUXIÈME TABLEAU : Déterminez quelle est la première moitié de votre NOUVEAU nom de famille. C'est le nom correspondant à la première lettre de votre ancien nom de famille.

A = Couche
B = Toilette
C = Riri
D = Balle
E = Baudrier
F = Vomi
G = Lézard
H = Gaufrette
I = Ephrem
J = Gibbon
K = Pot-de-chambre
L = Foie
M = Banane
N = Rhino
O = Burger
P = Hamster
Q = Crapaud
R = Gripette
S = Pizza
T = Gerbille
U = Poulet
V = Cornichon
W = Glou-glou
X = Tofu
Y = Gorille
Z = Putois

TROISIÈME de votre NO à la de

A = Écra
B = Naus
C = Minus
D = Énor
E = Puant
F = Vert
G = Jaun
H = Rose
I = Mauve

89

M. Bougon regarde les deux tableaux.

« D'après les tableaux, B serait Toilette et N serait Apoil. »

« Parfait! crie le professeur. Votre nouveau nom de famille est donc Toilette-Apoil. »

« Oh non! proteste le directeur. Ça veut dire que je m'appelle Mouffette Toilette-Apoil! »

Les enfants hurlent de rire.

PREMIER TABLEAU : Déterminez quel est votre NOUVEAU prénom.
C'est le nom correspondant à la première lettre
de votre ancien prénom.

A = Mouffette	J = K.K.	S = Morveux
B = Minet	K = Ti-Jean	T = Falafel
C = Bouton d'or	L = Crotte-de-nez	U = Concombre
D = Machin	M = Minus	V = Palpeux
E = Krusty	N = Zippy	W = Oprah
F = Gras-double	O = Pinotte	X = Trucmuche
G = Groslard	P = Dingo	Y = Mignon
H = Poutine	Q = Maigrichon	Z = Zsa-Zsa
I = Tchim-tchim	R = Boucle d'or	

DEUXIÈME TABLEAU : Déterminez quelle est la première moitié
de votre NOUVEAU nom de famille. C'est le nom correspondant
à la première lettre de votre ancien nom de famille.

A = Couche	J = Gibbon	S = Pizza
B = Toilette	K = Pot-de-chambre	T = Gerbille
C = Riri	L = Foie	U = Poulet
D = Bulle	M = Banane	V = Cornichon
E = Baudrier	N = Rhino	W = Glou-glou
F = Vomi	O = Burger	X = Tofu
G = Lézard	P = Hamster	Y = Gorille
H = Gaufrette	Q = Crapaud	Z = Putois
I = Ephrem	R = Gripette	

« Si j'étais à votre place, les enfants, je ne rirais pas trop fort, gronde le professeur. Je vais changer vos noms, à vous aussi. Si vous refusez, je vous réduirai à une taille plus petite encore. »

Comme vous pouvez l'imaginer, personne ne veut se faire réduire deux fois. C'est pourquoi tous les élèves se mettent à regarder les tableaux pour savoir comment ils s'appellent.

3

TROISIÈME TABLEAU : Déterminez quelle est la deuxième moitié de votre NOUVEAU nom de famille. C'est le nom correspondant à la dernière lettre de votre ancien nom de famille.

A = Écrapouti
B = Nauséabond
C = Minuscule
D = Énorme
E = Puant
F = Vert
G = Jaune
H = Rose
I = Mauve

J = Bleu
K = Carotté
L = Apois
M = Enrond
N = Apoil
O = Sansbonsens
P = Stupide
Q = Poilu
R = Pestilentiel

S = Grippesou
T = Odorant
U = Horrible
V = Virulent
W = Atêtedechien
X = Pissenlit
Y = Doigtdanlnez
Z = Zinzin

Simon Grenier est devenu Morveux Lézard-
Pestilentiel; Robert Fradet, Boucle d'or Vomi-
Odorant et la pauvre petite Jeannette Tremblay,
K. K. Gerbille-Doigtdanlnez.

« C'est peut-être le moment le plus horrible de
l'histoire de l'humanité, commente la reporter des
nouvelles locales. On dirait que tous les habitants
de cette planète doivent changer de nom pour éviter
d'être rétrécis. Puisse l'humanité s'en réchapper! »

« C'était *La Virgule* avec Bouton d'or Lézard-
Grippesou. À vous, Crotte-de-nez Cornichon-Zinzin! »

CHAPITRE 16
GROSLARD ET POUTINE

Voici Groslard Toilette-Puante et Poutine Gaufrette-Odorante. Groslard, c'est le petit à gauche avec une cravate et des cheveux coupés au carré. Poutine, c'est le garçon aux cheveux fous à droite qui porte un t-shirt.

« Il faut faire quelque chose », s'écrie Groslard.

« Quoi donc? proteste Poutine. On est plus petits que des souris. Qu'est-ce qu'on peut donc faire? »

« Et si on appelait notre vieil ami, le capitaine Bobette? » suggère Groslard.

Groslard et Poutine courent en direction du bureau de M. Toilette-Apoil, qui se cache sous son pupitre.

« Dire qu'on est obligés d'en venir à ça, gémit Groslard, mais c'est tout ce qu'il nous reste comme solution. »

Groslard fait claquer ses doigts.

CLAC!

Mouffette Toilette-Apoil arbore soudainement
une expression étrange : il cesse d'avoir l'air
soucieux et il a un sourire héroïque. Il sort de sa
cachette et bombe le torse.

M. Toilette-Apoil enlève ses vêtements en un rien de temps et noue un rideau rouge autour de son cou.

« Tra-la-la-laaa! entonne-t-il. Voici le capitaine Bobette! »

« Super! s'exclame Poutine. Seulement, vous vous appelez désormais Bouton d'or Toilette-Puante comme le veut le monsieur en costume de gerbille. »

« Il n'en est pas question. Je suis le SEUL maître à bord », proteste le capitaine Bobette.

« Parfait! approuve Groslard. Et maintenant, sautez par la fenêtre et ramenez-nous l'espèce de gros coin-coin avec des ailes d'ange. »

« Oui, mon GÉNÉRAL! » dit le capitaine Bobette.

CHAPITRE 17
LE CAPITAINE BOBETTE
À LA RESCOUSSE

Le capitaine Bobette s'envole, atterrit sur la pelouse et saisit l'oiegrandisseur 4000. Malheureusement, le professeur Prout voit le capitaine s'emparer de l'appareil.

Le professeur prend le rétréciporc 2000 et tire sur le capitaine Bobette.

« BLLLLLLZZZZRRRRK! »

Le prince du sous-vêtement se met à rétrécir
encore et encore. Il retourne à l'école en apportant
un tout petit oiegrandisseur 4000 qu'il dépose dans
la paume de Groslard.

« Eh! Où est le capitaine Bobette? » demande
Groslard.

« Je ne sais pas, répond Poutine. Je crois qu'il
est tellement petit qu'on ne peut pas le voir. »

« Au moins, dit Groslard, on a cette espèce de machin-truc. »

« À quoi ça sert? » demande Poutine.

« J'ai vu le professeur Prout s'en servir pour agrandir son crayon, déclare Groslard. C'est notre seule chance de retrouver notre taille normale. »

« J'espère que ça va marcher », affirme Poutine.

Groslard et Poutine se précipitent vers la cuisine et grimpent l'échelle qui donne sur le toit.

« Peut-être que si on tire sur l'école avec ça, elle reprendra sa taille normale », déclare Groslard.

« Bonne idée! approuve Poutine. Ensuite, on pourra tous se sauver. »

CHAPITRE 18
ALLÔ, MON DIEU?
C'EST NOUS,
GROSLARD ET POUTINE!

Groslard pointe l'oiegrandisseur 4000 sur le toit de l'école et s'apprête à appuyer sur le bouton. Mais le professeur a vu Groslard et Poutine. Il incline la main et les deux garçons se mettent à glisser et à tomber. Ils sont maintenant en chute libre.

« Oh NON! crie Poutine. On est PERDUS! »

« Eh! Attends une seconde! crie Groslard. Aurais-tu une feuille de papier avec toi? »

« Bien sûr! crie Poutine. J'en ai une dans ma poche. Pourquoi? »

« Vite! répond Groslard. Fais un avion en papier! »

« Quelle sorte d'avion en papier? » demande Poutine.

« On s'en CONTREFICHE! hurle Groslard. POURVU QUE TU EN FASSES UN! »

Poutine fait un drôle de planeur en moins de temps qu'il n'en faut pour le dire. « Ça, ça va? »

« Parfait! approuve Groslard. Peux-tu le tenir droit maintenant? » Groslard vise l'avion avec l'oiegrandisseur 4000 et appuie sur le bouton.

« GGGGLLUUZZZZZZZRRRRRT! »

Le planeur de Poutine prend soudainement des dimensions imposantes. Groslard et Poutine sautent et se laissent glisser dans les airs sur les ailes de l'avion.

« WOW! crie Poutine. Je n'aurais jamais cru que ça aurait marché! »

« Ne te réjouis pas trop vite! On n'est pas encore sortis du bois », commente Groslard.

CHAPITRE 19
LE PÉRIPLE
EN PLANEUR

Groslard et Poutine doivent admettre qu'ils ne détestent pas survoler la ville en planeur de papier. Ils ont même oublié qu'ils ne mesurent que deux centimètres de haut.

Mais, ils commencent à se faire du mauvais sang lorsqu'ils se rendent compte qu'ils se dirigent tout droit sur un déchiqueteur à copeaux.

« Oh NON! hurle Groslard. On va mourir d'une mort atroce, nous allons être DÉCHIQUETEURÉS! »

Poutine met les mains sur ses yeux en attendant l'inévitable.

Mais, SWOUOUCH! l'avion monte soudainement et manque de peu le déchiqueteur.

« Eh! lance Groslard. Qu'est-ce qui s'est passé? »

« Je ne sais pas, répond Poutine. Ce n'est pas moi qui pilote l'avion. »

Ils sont en train de reprendre leur souffle quand un petit chien les remarque et se met à leur courir après.

« Quoi ENCORE? crie Poutine. Ne me dis pas qu'on va se faire dévorer par un CHIEN SAUCISSE! »

Cette fois-ci, même Groslard ferme les yeux.

Encore une fois, le planeur monte soudainement et se retrouve hors de portée du chien.

« C'est toi qui fais ça? » demande Poutine.

« Non, répond Groslard. Ça doit être le vent. »

L'avion atterrit enfin sur un tas de goudron frais, encore chaud et tout collant.

« Eurk! gémit Groslard. Peux-tu imaginer quelque chose de pire que d'être pris dans le goudron? »

« Se faire écraser par un immense rouleau compresseur », rétorque Poutine.

« Tu as vraiment de l'imagination! » s'exclame Groslard.

« Ce n'est pas mon imagination, dit Poutine en pointant le doigt vers le haut. Regarde! »

« Oh NON! hurle Groslard. On va se faire
ROULEAU COMPRESSER à mort! »

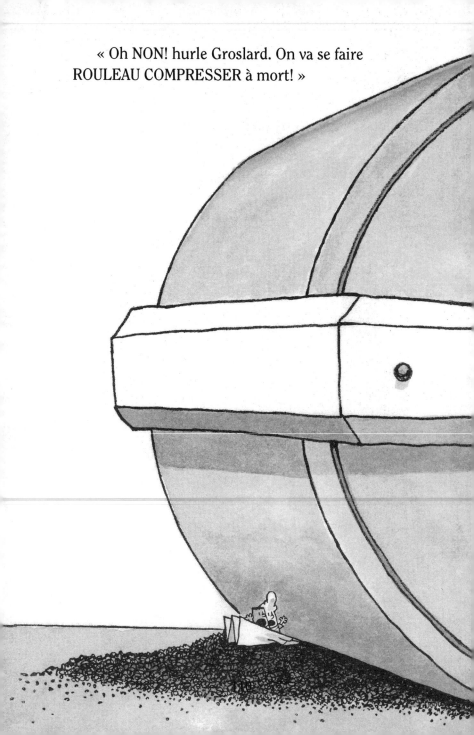

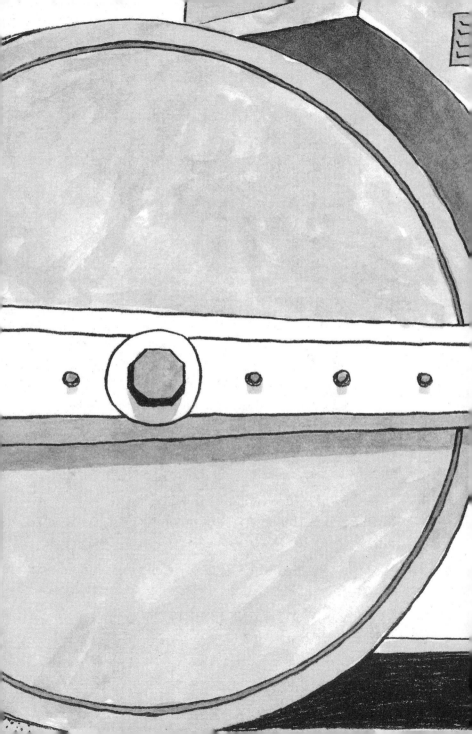

C'est à ce moment que quelque chose les saisit par le col et les transporte dans les airs.

« Quelque chose nous emporte, crie Poutine, mais je ne sais pas ce que c'est. »

« Ça doit être le capitaine Bobette, suggère Groslard. Il est tellement petit qu'on ne peut pas le voir. »

« Eh! s'écrie Poutine, je te parie que c'est lui qui pilotait l'avion! »

« VIVE LE CAPITAINE BOBETTE! » crient en chœur les deux garçons.

CHAPITRE 20
UN TRÈS TRÈS TRÈS TRÈS TRÈS TRÈS GRAND CALEÇON

Groslard et Poutine atterrissent dans une allée abandonnée.

« Il faut qu'on agrandisse le capitaine Bobette pour qu'il puisse combattre le professeur Prout, suggère Groslard. Le sort de la planète est entre nos mains. »

« Mais comment l'agrandir si on ne peut même pas le voir? » demande Poutine.

« Bonne question! » répond Groslard.

« Attends, dit Poutine, j'ai une idée! » Il appelle
le capitaine Bobette en criant à pleins poumons :
« Capitaine Bobette!!!!!!! On ne peut pas vous voir,
mais si vous m'entendez, posez-vous sur mon
doigt!!!! Nous avons une machine qui peut vous
redonner votre taille normale. »

Les deux garçons attendent quelques secondes.

« Regarde, Groslard! s'exclame Poutine. Le
voilà! Le vois-tu? C'est le petit grain sur mon doigt.
Tire sur le grain, mais pas sur mon doigt, d'accord? »

« N'aie pas peur, proteste Groslard, je sais viser.
Je ne t'agrandirai pas le... »

« GGGGLLUUZZZZZZZRRRRRT »

La bonne nouvelle, c'est que le capitaine Bobette
est maintenant visible. La mauvaise nouvelle, c'est
que Poutine risque d'avoir bien des difficultés à,
disons..., se curer le nez avec la main droite.

Groslard tire encore quelques fois sur le
capitaine Bobette : celui-ci atteint bientôt la
hauteur d'un immeuble de dix étages.

Le capitaine affronte enfin le professeur.

Le petit garçon du chapitre 13 se promène toujours avec sa mère. Il lève les yeux et aperçoit un géant en caleçon qui s'apprête à se battre contre un robot en plein centre ville.

« Maman », dit le petit garçon.

« Quoi », demande la mère.

« Oh…. rien », répond-il.

CHAPITRE 21
CHAPITRE D'UNE EXTRÊME VIOLENCE

(EN TOURNE-O-RAMA^{MC})

AVERTISSEMENT :

Le chapitre suivant comporte des scènes violentes qui peuvent ne pas convenir à un public n'ayant pas le sens de l'humour.

Si vous vous froissez facilement ou si vous avez tendance à blâmer la télévision ou les bandes dessinées pour tous les maux de la société, nous vous conseillons de monter dans votre astronef et de quitter la planète Vulcain. La Terre n'est qu'à 100 000 000 km!

Bon voyage!

Voici le TOURNE

Tout au long de l'histoire de l'art, plusieurs mouvements (nouvelles tendances artistiques) se sont succédés :
la Renaissance, l'impressionnisme, le Pop Art, etc.

Aujourd'hui, de nombreux experts s'accordent pour dire que le début du XXIᵉ siècle passera pour l'époque du tourne-o-ramisme aux yeux des générations futures. Nous avons la chance de vivre à un moment de l'histoire où naît une nouvelle forme d'expression artistique d'une grande signification culturelle.

PILKEY^{MD} O-RAMA

MODE D'EMPLOI :

Étape n° 1

Place la main gauche sur la
zone marquée « MAIN GAUCHE »
à l'intérieur des pointillés.
Garde le livre ouvert et
bien à plat.

Étape n° 2

Saisis la page de droite entre
le pouce et l'index de la main
droite (à l'intérieur des pointillés,
dans la zone marquée
« POUCE DROIT »).

Étape n° 3

Tourne rapidement la page de
droite dans les deux sens jusqu'à
ce que les dessins aient
l'air animés.

(Pour avoir encore plus de plaisir, tu peux
faire tes propres effets sonores!)

TOURNE-O-RAMA 1

(pages 123 et 125)

N'oublie pas de tourner seulement la page 123.

Assure-toi de voir les dessins aux pages
123 et 125 en tournant les pages. Si tu les tournes
assez vite, les dessins auront l'air de ne faire qu'un.

N'oublie pas de faire
tes propres effets sonores!

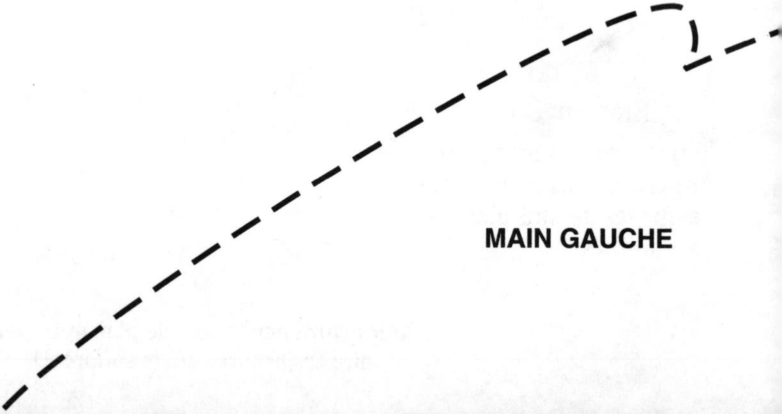

MAIN GAUCHE

LE PROFESSEUR PROUT A TOUTE UNE DROITE!

POUCE
DROIT

LE PROFESSEUR PROUT
A TOUTE UNE DROITE!

TOURNE-O-RAMA 2

(pages 127 et 129)

N'oublie pas de tourner seulement la page 127.

Assure-toi de voir les dessins aux pages
127 et 129 en tournant les pages. Si tu les tournes
assez vite, les dessins auront l'air de ne faire qu'un.

N'oublie pas de faire
tes propres effets sonores!

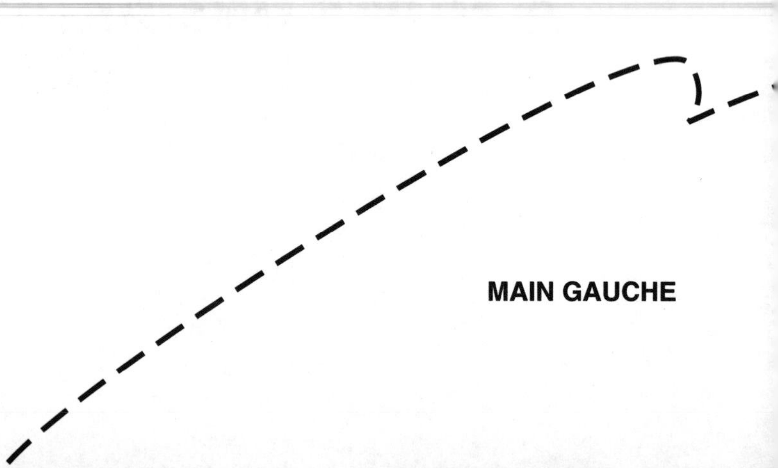

MAIN GAUCHE

MAIS LE CAPITAINE BOBETTE A LA TÊTE DURE!

POUCE DROIT

MAIS LE CAPITAINE
BOBETTE A
LA TÊTE DURE!

TOURNE-O-RAMA 3

(pages 131 et 133)

N'oublie pas de tourner seulement la page 131.

Assure-toi de voir les dessins aux pages
131 et 133 en tournant les pages. Si tu les tournes
assez vite, les dessins auront l'air de ne faire qu'un.

N'oublie pas de faire
tes propres effets sonores!

MAIN GAUCHE

À CHEVAL QUI RUE, ON NE REGARDE PAS LE CALEÇON.

POUCE
DROIT

À CHEVAL QUI RUE, ON NE REGARDE PAS LE CALEÇON.

TOURNE-O-RAMA 4

(pages 135 et 137)

N'oublie pas de tourner seulement la page 135.

Assure-toi de voir les dessins aux pages
135 et 137 en tournant les pages. Si tu les tournes
assez vite, les dessins auront l'air de ne faire qu'un.

N'oublie pas de faire
tes propres effets sonores!

MAIN GAUCHE

LE VALEUREUX
CAPITAINE ABAT
L'INFÂME PROFESSEUR

135

LE VALEUREUX
CAPITAINE ABAT
L'INFÂME PROFESSEUR

CHAPITRE 22
LE CHAPITRE VINGT-DEUX

Le professeur Prout a été battu. Tous les élèves et les professeurs poussent des cris de joie. S'ils sont toujours petits, au moins ils ont retrouvé leurs noms originaux.

« Je suis tellement contente de ne plus porter de nom ridicule », lance Mme Rancier.

« Et moi donc! » approuve M. Boussole.

« Hourra! crie Georges. Et si on donnait une bonne grosse main d'applaudissement au capitaine Bobette? »

Harold n'apprécie guère la plaisanterie.

« Oups..., s'excuse Georges. Désolé! »

« Ça va, ça va! dit Harold. Donne-moi l'invention du professeur pour qu'on puisse revenir tous les deux à notre taille normale. »

Harold tient l'oiegrandisseur 4000 entre ses doigts, et tire sur Georges et sur lui-même, en faisant attention de ne pas tirer sur sa main géante.

« GGGGLLUUZZZZZZZZRRRRRT! »

Georges et Harold sont revenus à leur taille normale.

« On peut dire qu'aujourd'hui, on a atteint de nouveaux sommets de savoir scientifique », déclare Georges.

« Ainsi que de nouveaux sommets d'invraisemblance dans le récit... », précise Harold.

« Euh... oui... tu as raison », conclut Georges.

Georges et Harold ramassent l'école et la remettent en place. Georges s'apprête à tirer sur l'école avec l'oiegrandisseur 4000, tandis qu'Harold se prépare à tirer sur le capitaine avec le rétréciporc 2000.

« J'espère que ça va marcher », déclare Georges.

« Moi aussi », ajoute Harold.

CHAPITRE 23
BREF...

Ça a marché!

CHAPITRE 24
L'AVANT-DERNIER CHAPITRE

Georges conduit le capitaine Bobette jusqu'à un buisson situé derrière l'école et lui ordonne de se déguiser en M. Bougon.

« Vite, vite! dit Georges. On n'a pas toute la journée! »

Harold prend un malin plaisir à arroser
M. Bougon au boyau d'arrosage. Le directeur
retrouve sa charmante personnalité d'antan.

Les policiers arrivent sur les lieux et arrêtent le professeur Prout.

« Il y a une chose que je ne comprends pas », demande Georges au professeur. « Pourquoi ne pas avoir changé votre nom à vous plutôt que de nous forcer à changer le nôtre? Ça aurait été beaucoup plus simple! »

« Zut alors! s'exclame le professeur. Je n'y ai pas pensé! »

Quelques semaines plus tard, Georges et Harold reçoivent une lettre de la prison des Pères Verts.

Chers Georges et Harold,

Je suis désolé d'avoir essayé de conquérir le monde. J'ai décidé de suivre votre conseil et de changer de nom pour que les gens arrêtent de se moquer de moi.

Je porterai désormais le nom de mon grand-père maternel. Je suis tellement soulagé à la pensée qu'on va cesser de rire de mon nom.

Signé,
Fifi Ti-père

CHAPITRE 25
LE CHAPITRE APRÈS L'AVANT-DERNIER CHAPITRE

« Tu sais, dit Georges, j'ai appris quelque chose aujourd'hui. »

« Et quoi donc? » demande Harold.

« J'ai appris qu'on ne doit pas se moquer des autres », répond Georges.

« Eh bien! ironise Harold, je crois bien que c'est la première fois que l'une de nos histoires a une morale. »

« Et c'est probablement la dernière fois », dit Georges.

« J'espère bien! » s'exclame Harold.

Mais Georges et Harold ont complètement oublié l'autre morale de cette histoire : « N'hypnotisez jamais, au grand jamais, le directeur de votre école! »

Parce que, si jamais vous le faites, votre vie pourrait devenir un enfer...

… en un claquement de doigt!

« OH NON! » hurle Harold.

« ET V'LÀ QUE ÇA RECOMMENCE! »
s'écrie Georges.

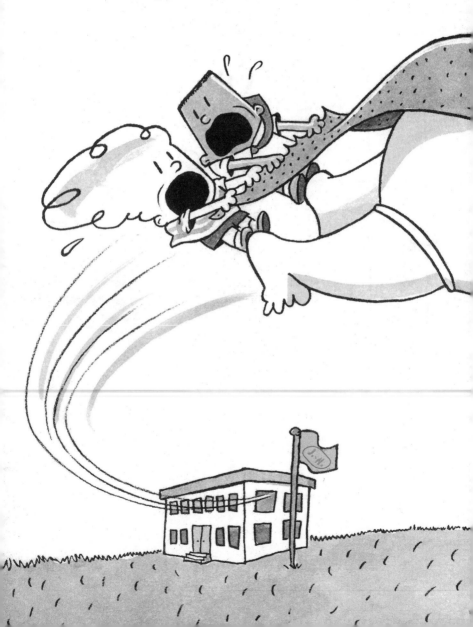

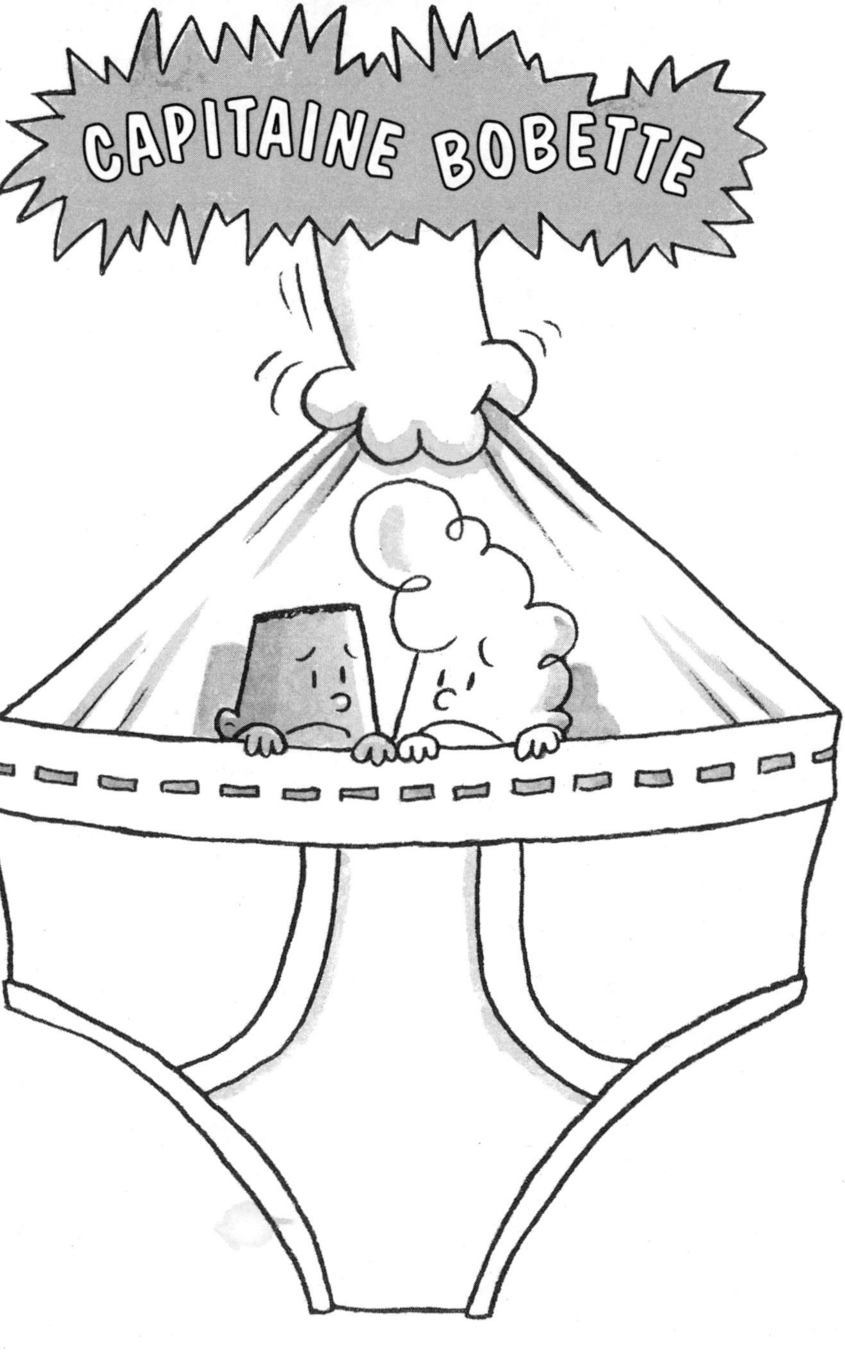
CAPITAINE BOBETTE

Dav Pilkey n'a pas créé que
Capitaine Bobette
et la machination machiavélique
du professeur K. K. Prout.
Il a également écrit d'autres livres
tous aussi passionnants les uns que
les autres, dont :

Les aventures du capitaine Bobette

Capitaine Bobette
et l'attaque des toilettes parlantes

Capitaine Bobette
et l'invasion des méchantes bonnes femmes
de la cafétéria venues de l'espace